1551820050

中华人民共和国国家标准

通信电源设备安装工程验收规范

Code for acceptance of construction engineering of telecommunication power supply facility

GB 51199-2016

主编部门：中华人民共和国工业和信息化部
批准部门：中华人民共和国住房和城乡建设部
施行日期：2 0 1 7 年 7 月 1 日

中国计划出版社

2016 北 京

中华人民共和国国家标准
通信电源设备安装工程验收规范
GB 51199-2016

☆

中国计划出版社出版发行
网址:www.jhpress.com
地址:北京市西城区木樨地北里甲11号国宏大厦C座3层
邮政编码:100038 电话:(010)63906433(发行部)
三河富华印刷包装有限公司印刷

850mm×1168mm 1/32 1.75印张 38千字
2017年4月第1版 2017年4月第1次印刷

☆

统一书号:155182・0050
定价:12.00元

版权所有 侵权必究
侵权举报电话:(010)63906404
如有印装质量问题,请寄本社出版部调换

中华人民共和国住房和城乡建设部公告

第 1338 号

住房城乡建设部关于发布国家标准《通信电源设备安装工程验收规范》的公告

现批准《通信电源设备安装工程验收规范》为国家标准,编号为 GB 51199—2016,自 2017 年 7 月 1 日起实施。其中,第 1.0.6、2.0.10、3.3.5 条为强制性条文,必须严格执行。

本规范由我部标准定额研究所组织中国计划出版社出版发行。

中华人民共和国住房和城乡建设部
2016 年 10 月 25 日

前　言

本规范根据住房城乡建设部《关于印发〈2009 年工程建设标准规范制定、修订计划〉的通知》（建标〔2009〕88 号）的要求，由中国通信建设集团有限公司会同有关单位共同编制完成。

本规范在编制过程中，编写组经广泛调查研究，认真总结实践经验，并广泛征求意见，最后经审查定稿。

本规范共分 9 章，主要内容有：总则，机房环境和安全，配电、换流设备安装及线缆布放，交流供电系统，直流供电系统，蓄电池，动力环境监控系统和工程验收。

本规范用黑体字标注的条文为强制性条文，必须严格执行。

本规范由住房城乡建设部负责管理，由工业和信息化部负责日常管理，由中国通信建设集团有限公司负责具体内容的解释。本规范执行过程中如有意见或建议，请寄送中国通信建设集团有限公司（地址：北京市丰台区南方庄甲 56 号，邮政编码：100079）。

本规范主编单位、参编单位、主要起草人和主要审查人：

主 编 单 位：中国通信建设集团有限公司
参 编 单 位：中通建设股份有限公司
　　　　　　　中讯邮电咨询设计院有限公司
主要起草人：冯　璞　齐玉亮　詹书林　李建锋　李　杰
　　　　　　　王　伟
主要审查人：叶　荣　杨万东　王召民　王殿魁　方恒武
　　　　　　　叶向阳　吉欣春　庄珍花　李志国　张　磊
　　　　　　　徐连坤

目 次

1 总 则 ………………………………………… (1)
2 机房环境和安全 ………………………………… (2)
3 配电、换流设备安装及线缆布放 ………………… (3)
　3.1 配电、换流设备安装 ………………………… (3)
　3.2 铁架安装 …………………………………… (3)
　3.3 线缆布放 …………………………………… (3)
4 交流供电系统 …………………………………… (6)
　4.1 变压器 ……………………………………… (6)
　4.2 燃油发电机组 ……………………………… (7)
　4.3 不间断(UPS)供电系统 …………………… (10)
5 直流供电系统 …………………………………… (12)
　5.1 整流设备通电检测 ………………………… (12)
　5.2 直流-直流变换设备通电检测 …………… (13)
　5.3 逆变设备通电检测 ………………………… (14)
　5.4 太阳能光伏发电系统 ……………………… (14)
6 蓄电池 …………………………………………… (16)
　6.1 电池架(柜)安装 …………………………… (16)
　6.2 蓄电池安装 ………………………………… (16)
　6.3 阀控式密封铅酸蓄电池的充放电 ………… (16)
7 动力环境监控系统 ……………………………… (18)
8 工程验收 ………………………………………… (20)
　8.1 随工验收 …………………………………… (20)
　8.2 工程初验 …………………………………… (20)
　8.3 工程试运行 ………………………………… (24)

8.4 工程终验 …………………………………………… （25）
本规范用词说明 ……………………………………… （26）
引用标准名录 ………………………………………… （27）
附：条文说明 ………………………………………… （29）

Contents

1 General provisions (1)
2 Requirements of equipment room and safety (2)
3 Equipment installation and wiring (3)
   3.1 Power distribution system installation and rectifier installation (3)
   3.2 Cable tray installation (3)
   3.3 Wiring (3)
4 AC power supply system (6)
   4.1 Transformer (6)
   4.2 Oil generator (7)
   4.3 Uninterrupted power supply (UPS) (10)
5 DC power supply system (12)
   5.1 Rectifier live testing (12)
   5.2 DC-DC convertor live testing (13)
   5.3 Inverter live testing (14)
   5.4 Photovoltaic power supply sytem (14)
6 Battery (16)
   6.1 Battery rack installation (16)
   6.2 Battery installation (16)
   6.3 Charging and discharging of valve-regulated sealed lead-acid battery (16)
7 Power and environment monitoring system (18)
8 Engineering acceptance (20)
   8.1 On-site acceptance (20)

8.2　Preliminary acceptance ……………………………… (20)
8.3　Engineering trial run ………………………………… (24)
8.4　Final acceptance …………………………………… (25)
Explanation of wording in this code ……………………… (26)
List of quoted codes and standards ……………………… (27)
Addition:Explanation of provisions ……………………… (29)

1 总 则

1.0.1 为保证通信电源设备安装的工程质量,满足验收要求,确保通信电源设备的安全运行,制定本规范。

1.0.2 本规范适用于新建、改建、扩建的通信电源设备安装工程的验收。

1.0.3 在通信电源设备安装施工、质量检查、竣工验收中应使用经法定计量检定机构检定合格,并在检定合格有效期内的计量器具。

1.0.4 在通信电源设备施工中所涉及的设备材料规格、型号等应符合工程设计要求。

1.0.5 在通信电源设备施工中,不得安装有损坏、变形、受潮、发霉的设备,不得安装没有检验合格证的设备。

1.0.6 在我国抗震设防烈度7度以上(含7度)地区公用电信网中使用的电源设备必须满足抗震设防要求。

1.0.7 通信电源设备安装工程中的防雷与接地系统部分的验收,应符合现行国家标准《通信局(站)防雷与接地工程验收规范》GB 51120 的有关规定。

1.0.8 通信电源设备安装工程除符合本规范外,尚应符合国家现行有关标准的规定。

2 机房环境和安全

2.0.1 施工前经检查,机房建筑、装修已完工并应符合工程设计要求。屋顶不得漏水,屋内墙体和地面不得渗水。

2.0.2 机房地面应平整,水平误差每米不应大于2mm。地槽、预留孔洞、预埋钢管、螺栓等位置、规格应符合设备安装要求。地槽盖板应严密、坚固,地槽内不得有渗水。

2.0.3 机房的通风、取暖、空调等设施应完好。室内温度、湿度应符合设备运行要求。

2.0.4 市电应引入机房,照明系统应能正常使用。

2.0.5 发电机室设置和设备安装,以及采取的隔音和减震措施,应符合工程设计要求。

2.0.6 电力室、电池室、发电机室等建筑应符合现行行业标准《邮电建筑防火设计规范》YD 5002 的有关规定。

2.0.7 机房内应配备有效的消防灭火器材,并设置火灾自动报警系统。

2.0.8 在经常发生水灾地区的通信局(站),电源设备应设置在当地警戒水位线以上的机房内或采取其他防水灾措施。

2.0.9 机房内的装修材料应采用非延燃材料,洞孔的封堵和地槽盖板应由非延燃材料制作。

2.0.10 机房内严禁存放易燃、易爆等危险物品。

3 配电、换流设备安装及线缆布放

3.1 配电、换流设备安装

3.1.1 设备结构不应变形,表面不应损伤,指示仪表、按键、旋钮、机内部件等不应有碰损、卡阻、脱落、损坏现象。

3.1.2 设备安装位置应满足工程设计要求,允许偏差为±10mm。

3.1.3 设备机架应排列整齐,架间缝隙不应大于3mm,垂直允许偏差为±0.1%。列架机面应成一条直线,每米允许偏差为±3mm,全列允许偏差为±15mm。

3.1.4 安装设备机架时,应按设计要求进行加固。

3.1.5 设备机架漆面应保持完整、清洁。

3.1.6 设备部件应安装牢固,接线无误。

3.2 铁架安装

3.2.1 铁架安装位置、规格、长度应满足设计要求。铁架安装位置左右允许偏差为±50mm。水平铁架应成一条直线,与地面应保持平行,水平度每米误差不应大于2mm。垂直铁架应与地面应保持垂直,垂直度误差不应大于0.1%。

3.2.2 连固件连接应牢固、平直、无明显弯曲;电缆支架应安装端正、牢固,间距均匀。

3.2.3 吊挂安装应整齐、牢固,与地面保持垂直。

3.2.4 铁架漆面应保持完整、清洁。

3.3 线缆布放

3.3.1 电源线、信号线的规格、型号应满足设计的要求。

3.3.2 接线端子与线缆应匹配。

3.3.3 直流电源线、交流电源线、信号线应分开布放。

3.3.4 电源线外皮颜色应符合表3.3.4的规定。

表3.3.4 电源线外皮颜色

直流电源		交流电源	
正极	红色	L1相	黄色
		L2相	绿色
负极	蓝色	L3相	红色
		中性线	浅蓝色
		保护接地线	黄绿色

3.3.5 电源线中间严禁有接头。

3.3.6 线缆布放应平直、整齐,绑扎间隔均匀、松紧合适,扎带头应放在隐蔽处。

3.3.7 线缆连接应无差错、接触良好,焊接光滑,不得碰地、短路、断路、虚焊、漏焊、错焊。

3.3.8 电源线与设备的连接应符合下列规定:

　　1 电源线成端连接时,应在电源线端头处套上绝缘套管;

　　2 截面面积在6mm²以下的单股电源线可与设备直接连接;

　　3 多股电源线及截面面积在6mm²以上的单股电源线端头应加装镀锡连接器;连接器尺寸与导线线径应吻合,压(焊)接牢固;连接器与设备的接触部分应平整。

3.3.9 信号线与设备端子连接时应符合下列规定:

　　1 信号线与设备连接线缆的色谱应顺序正确;

　　2 采用绕接时,当线径为0.4mm～0.5mm时,可绕6圈～8圈;当线径为0.6mm～1.0mm时,可绕4圈～6圈;

　　3 采用焊接时,焊点应光滑,无假焊、错焊、漏焊,无短路,芯线露铜应小于2mm;

　　4 采用卡接时,芯线与端子之间应卡接牢固。

3.3.10 沿地槽布放电源线、信号线时,电缆不宜直接与地面接触。

3.3.11 室外直埋电力电缆的敷设应符合下列规定：

 1 电缆敷设深度应满足工程设计要求，遇有障碍物或穿越道路时应敷设钢管或塑料管保护；

 2 电缆沟底应铺一层细土，电缆敷设完成后应用5cm厚的细土覆盖，并宜铺红砖或盖板保护，电缆沟应回土、填平、夯实。

3.3.12 电源线穿管应符合下列规定：

 1 保护管的型号、规格、位置应满足设计要求；

 2 电源线穿越后，管口两端应密封；

 3 非同一级电压的电力电缆不得穿放在同一管孔内。

3.3.13 同一交流回路的电源线应穿放在同一金属导管内，并按设计要求接地。

3.3.14 铠装电力电缆的敷设弯曲半径不得小于外径的20倍，塑包电缆敷设弯曲半径不得小于其外径的6倍。

4 交流供电系统

4.1 变 压 器

4.1.1 变压器设备的安装应符合下列规定：

1 变压器基础及变压器配置应满足设计的要求；

2 型钢基础构架与接地扁钢连接不宜少于两点，焊接处不应有氧化皮，焊接应均匀牢靠，焊接处应做防腐处理并刷漆；

3 干式变压器一次元件应按产品说明书位置安装，二次仪表应装在便于观测的变压器护栏或外壳上，软管富余部分宜盘圈并固定在温度计附近；

4 干式变压器的电阻温度计宜安装在值班室或操作台上；温度补偿导线应满足仪表要求，并加以适当的附加温度补偿电阻，校验调试合格后方可使用。

4.1.2 电压切换装置的安装应符合下列规定：

1 变压器电压切换装置各分接点与线圈的连接线应压接正确，牢固可靠，其接触面接触紧密良好；切换电压时，转动触点停留位置应正确，并应与标识位置一致；

2 有载调压切换装置转动到极限位置时，应装有机械联锁和带有限位开关的电气联锁；

3 有载调压切换装置的控制箱宜安装在值班室或操作台上，接线应正确无误，手动、自动应工作正常，档位应指示正确。

4.1.3 变压器接线应符合下列规定：

1 变压器的一次接线、二次接线、地线、控制线的敷设与连接应满足设计要求；

2 变压器中性线与保护接地线应分别敷设，在变压器中性点连接在一起；中性线宜用绝缘导线，保护地线应用黄、绿相间的双色绝缘导线；

3 变压器中性点的接地回路中靠近变压器处，宜做一个可拆卸的连接点。

4.2 燃油发电机组

4.2.1 燃油发电机组的基础纵横中心线、地脚螺孔的位置、规格应满足设计要求。地脚螺栓应采用"二次浇灌"预埋，预埋应位置准确、外露一致、地脚螺栓规格满足工程设计要求，各预埋件应完善、正确，基础标高应满足设计要求。

4.2.2 燃油发电机组安装应符合下列规定：

1 发电机组型号、规格、零部件应满足工程设计要求，并应有出厂检验合格证；

2 发电机组基础、位置、预留孔、地槽、盖板应满足工程设计和安装要求；

3 发电机组应安装稳固，安装后露出螺母宜为3扣～5扣；

4 安装在减震器上的机组底座，其基础应采取防滑铁件定位措施；

5 发电机组的油泵、油箱、水箱应安装牢固；油罐应按工程设计要求安装在指定位置；燃油管路安装应牢固、平直，无漏油、渗油现象；

6 发电机组电源线、信号线应布放整齐美观，接线应牢固可靠、无差错，保护接地应良好；

7 电源线、信号线进出发电机控制屏（柜）时应分类绑扎整齐，不得将交流、直流、信号线绑扎在同一线束内。

4.2.3 管件加工和管路安装应符合下列规定：

1 发电机管材型号、管（通）径、壁厚及阀门、法兰盘、三通、弯头、大小头等规格、型号、数量应满足工程设计要求，相关材料不应破损、变形、裂缝；

2 钢管需要弯曲时，其弯曲半径不宜小于钢管半径的6倍；

其弯曲部位与角度应正确,无皱折、凹凸不平的现象;

3 钢管用管箍连接时,钢管两端套丝长度不应小于管箍接头长度的1/2,在管箍口两端应做密封处理;用法兰盘连接时,法兰盘的密封面应光洁,垫片应完好;

4 管路系统装配应平直、牢固,倾斜度不应大于0.2%,且应与流向一致;

5 管路接口位置不应在支架上,接口处距离支、吊架不应小于50mm;两个接口间距不应小于150mm;管路接口与弯管的弯曲起点的间距不应小于100mm;

6 明敷钢管应排列整齐,固定支撑点的间距应分布均匀;管卡与终端、转弯中间两侧的距离应符合表4.2.3的规定;

表4.2.3 管卡与终端、转变中间两侧的距离

钢管内径(mm)	最大允许距离(m)
15～20	1.5
25～32	2.0
40～50	2.5
70～100	3.5

7 应对埋在地下的钢管涂防腐油漆或沥青,钢管穿越其他设备及建筑物基础时应加以保护;

8 油泵与油管宜采用软管连接,不得漏油、渗油;

9 安装的冷却水管路应平直、牢固;管路可采用管箍连接,单流阀方向应正确且不得漏水、渗水;

10 排烟管路安装应符合下列规定:

 1)排烟管水平外伸口的防护措施应满足设计要求;

 2)排烟管路应顺直、不漏气;

 3)排烟管水平伸向室外时,室外侧应低于室内侧,其坡度宜为0.5%。

11 冷油机进风和排风管的安装位置应满足设计要求;管路

吊挂应牢固、整齐,间距适当,管路平直;进、排风管不应漏气。

4.2.4 管路涂漆应符合下列规定:

　　1 发电机管路安装完毕,经检验合格后应喷涂一层防锈底漆和2层～3层面漆,漆面应均匀、无皱折、无流痕;

　　2 管路喷涂油漆的颜色应符合下列规定:气管应为天蓝色或白色;进水管应为浅蓝色;出水管应为深蓝色;机油管应为黄色,燃油管为棕红色;排气管应为银色;

　　3 在管路分支处和管路的明显部位应标红色的流向箭头。

4.2.5 燃油发电机组试机前应检查发电机控制屏、各零部件及管路、油箱(罐)、水箱、启动蓄电池电压、机组接地。

4.2.6 发电机组空载试验应符合下列规定:

　　1 运转应平稳、均匀,调速器应调速准确,转速稳定,无异常响声及异常发热情况;

　　2 电压表、电流表、频率表、温度表、油压表应指示正常;

　　3 发电机房的噪声应符合现行国家标准《声环境质量标准》GB 3096 的有关规定;

　　4 润滑油压力、温度、冷却水进出口温度应符合相应的技术要求;

　　5 空载试验时间不得少于30min。

4.2.7 发电机组在进行负载试验时,可在额定转速下,使油机输出功率分别在额定功率的25%、50%、75%、100%的条件下各运转1h。

4.2.8 发电机组在环境温度(5℃～35℃)下,完成启动的次数不宜超过3次,总启动时间不应超过5min。启动成功后应在3min内带额定负荷运行。

4.2.9 在进行发电机组带负荷试验时,监测应包括下列项目:

　　1 发电机输出三相电压与平衡程度;

　　2 转速及发电频率;

　　3 电压自动调节与调速性能;

 4 连续运转下的油机水温、油温、油压；
 5 机械运转及声响；
 6 燃油系统、润滑系统、冷却系统及排气。

4.2.10 在发电机组的监控系统开通后，发电机组应能自动启动、自动停机，应能自动调整输出电压、频率且油位显示功能应正常。

4.2.11 发电机组控制屏功能检查应符合下列规定：
 1 市电停电、过压、欠压或断相时，应能自动启动主用机组；
 2 主用机组启动失败，应能自动启动备用机组；
 3 启动机组电压、油压达到正常值时，应能自动和手动倒换，由发电机组向负载供电；
 4 市电恢复到正常值时，应能自动停机；
 5 出现发电机组输出过压、输出欠压、转速过高、频率过高、油机过载、冷却水温过高、油压低、油位低、启动蓄电池电压低等现象时，自动保护电路应工作正常，并应能发出声光告警信号；
 6 本地和远程监控接口性能应正常。

4.3 不间断(UPS)供电系统

4.3.1 不间断电源设备的测试应检验下列项目，指标应满足设计要求：
 1 输入电压；
 2 输出电压；
 3 稳压精度；
 4 输出波形；
 5 谐波含量；
 6 频率精度；
 7 市电与不间断电源(UPS)的转换时间；
 8 过载能力；
 9 蓄电池电压。

4.3.2 当出现不间断电源(UPS)输入电压过高、输出电压过低、输出过压、输出欠压、过流、欠流、过载、短路、蓄电池欠压、熔断器熔断等现象时,自动保护电路动作应准确,并应能发出声光告警信号。

4.3.3 本地和远程监控接口性能应正常。

5 直流供电系统

5.1 整流设备通电检测

5.1.1 通电前检查交流引入线、输出线、信号线、机柜内配线连接应正确,所有螺钉不得松动,输入、输出无短路,绝缘电阻值应满足要求。

5.1.2 接通交流电源,检查三相电压值应符合要求。观察通电后模块显示器信号、指示灯应正常。

5.1.3 整流设备应检测下列项目,指标应符合设计要求:
1 输入交流电压、电流;
2 输出直流电压、电流;
3 输出限流、均流特性,自动稳压及稳压精度;
4 浮充、均充电压值和自动转换;
5 电池充电限流值;
6 输出过流保护值;
7 输出杂音电平。

5.1.4 整流设备输出杂音指标值应符合表5.1.4规定。

表5.1.4 整流设备输出杂音指标值

标准电压(V)	电信设备受电端子电压变动范围(V)	衡重杂音	电源杂音电压(mV)					
			峰-峰值杂音		宽频杂音(有效值)		离散杂音(有效值)	
			频段(kHz)	指标	频段(kHz)	指标	频段(kHz)	指标
-48	-40~-57	≤2	0~20000	≤200	3.4~150	≤50	3.4~150	≤5
							150~200	≤3
					150~30000	≤20	200~500	≤2
							500~30000	≤1

续表 5.1.4

标准电压（V）	电信设备受电端子电压变动范围(V)	衡重杂音	电源杂音电压(mV)					
			峰－峰值杂音		宽频杂音（有效值）		离散杂音（有效值）	
			频段(kHz)	指标	频段(kHz)	指标	频段(kHz)	指标
－24	－19～－29	≤2	0～20000	≤200	3.4～150	≤50	3.4～150	≤5
							150～200	≤3
					150～30000	≤20	200～500	≤2
							500～30000	≤1
240	192～285		0～20000	≤1200	—	—	—	—

5.1.5 供电时应工作稳定。

5.1.6 输出应能自动稳压、稳流。

5.1.7 整流模块应能多块并联工作，其不平衡度应满足设计要求。

5.1.8 监控模块告警门限参数、管理参数的设置应满足设计要求，并应检测下列项目：

1 交流输入过压、欠压、缺相告警；
2 直流输出过压、欠压、输出过流、欠流告警；
3 蓄电池欠压告警；
4 充电过流告警；
5 负载过流告警；
6 输出开、短路告警；
7 模块熔丝告警；
8 自动保护电路动作准确，声光告警电路工作正常。

5.2 直流-直流变换设备通电检测

5.2.1 直流-直流变换设备应检测下列项目，指标应符合设计要求。

1 输入电压；

2 输出电压；

3 稳压精度；

4 限流性能；

5 输出杂音电平。

5.2.2 多台直流变换设备并联工作时，应有自动均分负载性能，其不平衡度应符合设计要求。

5.2.3 当出现变换设备故障、过压、欠压、过流、欠流、开路、短路、熔断器熔断等现象时，自动保护电路动作应准确，并应能发出声光告警。

5.2.4 本地和远程监控接口性能应正常。

5.3 逆变设备通电检测

5.3.1 逆变设备应检测下列项目，并应符合设计要求。

1 输入直流电压；

2 输出交流电压；

3 稳压精度；

4 输出波形；

5 谐波含量；

6 频率精度。

5.3.2 多台设备并联工作时应有自动均分负载功能。

5.3.3 当逆变设备出现输入过压、输入欠压、输出过压、输出欠压、过流、欠流、过载、短路、蓄电池欠压、熔断器熔断等现象时，自动保护电路动作应准确，并应能发出声光告警。

5.3.4 本地和远程监控接口性能应正常。

5.4 太阳能光伏发电系统

5.4.1 太阳能电池方阵安装应符合下列规定：

1 太阳电池方阵支架尺寸、规格、数量应满足工程设计要求，所用金属材料应经过防腐处理；太阳电池型号、规格、数量应满足工程设计要求，并应有合格证；

  2 太阳电池极板不得有损坏、裂纹及内部正负极金属线开路现象；

  3 太阳电池方阵支架底座应平直牢固，方向、尺寸、强度应满足工程设计要求。

5.4.2 太阳电池方阵支架应安装接地和防雷装置。

5.4.3 太阳电池子阵之间电源线连接方式应满足工程设计要求。进入室内的线缆应采用屏蔽电缆，布放整齐，走向合理，进入机房入口处前屏蔽层应就近接地，芯线应安装相应电压等级的避雷器。进线孔应进行防渗水处理。

5.4.4 在正常的气象条件下，检查太阳电池的开路电压、短路电流应符合工程设计要求。

5.4.5 太阳电池控制器检验应符合下列规定：

  1 太阳电池应能接入蓄电池组，并应自动为蓄电池组浮充电、均充电；

  2 太阳电池能量不足时，蓄电池组应自动接入为负载供电；

  3 太阳电池及蓄电池能量不足时，应发出警示信号，并应启动其他供电方式；

  4 在额定电流的条件下，直流供电回路电压降不得大于0.5V。

5.4.6 系统监控器检验应符合下列规定：

  1 当母线电压低于或高于门限电压时，太阳能方阵应自动逐个加入或撤除太阳电池子阵；

  2 直流配电单元应根据太阳电池能量大小自动接入或部分撤除太阳电池子阵。

5.4.7 本地和远程监控接口性能应正常。

6 蓄 电 池

6.1 电池架(柜)安装

6.1.1 电池架(柜)的材质、规格、承重应满足设计要求。

6.1.2 电池架(柜)排列位置应满足设计要求。

6.1.3 电池架(柜)排列平整,安装稳固,水平每米允许偏差为±3mm。

6.1.4 电池铁架安装后,对漆面脱落处应补涂防腐漆,保持漆面完整一致。

6.2 蓄电池安装

6.2.1 蓄电池的型号、规格、数量应满足设计要求。

6.2.2 电池外壳、安全阀及滤气帽不应有损坏现象。

6.2.3 蓄电池安装时,应将滤气帽或安全阀、气塞等拧紧。

6.2.4 电池各列应排放整齐。

6.2.5 电池间隔偏差不应大于5mm,电池之间的连接条应平整,连接螺栓、螺母应拧紧,并应在加装塑料盒盖或在螺栓、螺母上涂一层防氧化物。

6.2.6 各组电池应根据馈电母线走向确定正负极出线位置。

6.2.7 蓄电池组连接前应检查极性并测试电池端电压。

6.2.8 蓄电池安装完毕后,在电池架和电池体外侧应有编号标志。

6.2.9 蓄电池监测器件安装位置、固定方式应满足设计要求。

6.3 阀控式密封铅酸蓄电池的充放电

6.3.1 检查蓄电池组各单体开路电压,当低于要求或储存期超过6个月时应运用恒压限流法进行均衡充电,或按技术说明书要求充电。

6.3.2 放电应按技术说明书规定进行,当放出额定容量的30%～40%时,应及时进行补充电。

6.3.3 蓄电池安装完毕,应按产品技术说明书进行充、放电和容量测试。

7 动力环境监控系统

7.0.1 动力环境监控系统主设备及外围设备的配置应满足设计要求。

7.0.2 监控系统应采用不间断电源供电。

7.0.3 动力环境监控系统的测试应包括下列项目,并应满足设计要求。

  1 前端采集设备的数据采集、数据存储、输出报表、数据交换、数据处理等的量值和精度;

  2 系统软件结构及功能;

  3 系统报警、控制功能;

  4 安全管理功能。

7.0.4 监控系统的任何故障不得影响被监控设备的正常工作,监控系统的局部故障不得影响监控系统其他部分的正常工作。

7.0.5 监控系统遥信、遥测、遥控所完成的功能和数据处理应满足设计要求。

7.0.6 应对技术要求所规定的所有遥控、遥测、遥信内容进行测试,测试结果应满足设计要求。

7.0.7 系统应对同时多点遥测内容进行抽测,测试结果应满足设计要求。

7.0.8 系统应进行多点告警信号测试,测试结果应满足设计要求。

7.0.9 当采用专线通信时,从故障点到维护中心的响应时间不应大于10s,系统对人工指令的响应时间不应大于30s。

7.0.10 当系统有备用通信路由选择时,应根据命令正常倒换。

7.0.11 通信系统应检测通信误差,并应有保证系统通信可靠性、安全性的补救措施及安全措施。

7.0.12 监控系统的加入不应改变被监控设备原有的监控功能,并应以自身监控功能为优先。

8 工程验收

8.1 随工验收

8.1.1 隐蔽工程应由建设单位随工代表或监理人员进行验收签证，随工检验内容可按表8.1.1的规定进行。

表8.1.1 隐蔽工程随工检验内容

项　目	检　验　内　容	检验结果
发电机组	埋在地下的钢管应经过防锈处理	
电源线、信号线	室外直埋电力电缆的埋深及保护	
	电缆的地沟沟底处理	

8.2 工程初验

8.2.1 已随工验收的项目，在初验阶段可不再检验。
8.2.2 安装工艺验收的内容宜按表8.2.2的规定进行。

表8.2.2 安装工艺验收内容

项　目	检　验　内　容	检验结果
走线架	安装位置、高度、规格、水平及垂直度	
	走线架加固支撑安装、吊挂	
	走线架漆面	
	穿墙或楼层孔洞、地槽盖板	
配电、换流设备	设备的安装位置、型号、规格、水平和垂直度	
	设备电源线、信号线和接地线	
	抗震加固	
电源线、信号线	线缆布放、绑扎、路由走向、弯曲半径	
	线缆端头接头处理及连接	

续表 8.2.2

项　目	检验内容	检验结果
燃油发电机组	油机油罐、油泵及水箱的安装位置	
	管路安装,管件连接,吊挂高度、位置	
	管路漆面、颜色	
	埋在地下铁管的防锈处理	
	抗震加固	
太阳电池	电池方阵支架安装位置、水平度、垂直度和方向	
	电池方阵支架与底座之间加固,支架螺栓、螺母的防腐处理	
	电池方阵的角度,极板前遮挡物	
	电池方阵摆放、绑扎,接地线	
	太阳电池电源线的防雷,进线孔的防漏处理	
	支架抗震加固	
蓄电池	电池铁架安装位置、水平及垂直度	
	电池铁架漆面,螺栓、螺母防腐处理	
	电池型号、规格、数量	
	电池排列,连接条的防腐处理,连接	
	抗震加固	

8.2.3 通信局(站)的通信电源工程完工后,施工单位应提交完工报告,提出验收申请,并应提供一式三份的竣工文件。

8.2.4 竣工文件应包括竣工文件、测试记录和竣工图纸。其中竣工技术文件应包括下列内容:

1 工程说明;
2 开工报告;
3 建筑安装工程量总表;
4 已安装的设备明细表;
5 工程设计变更单;
6 重大工程质量事故报告单;

7 停（复）工通知；
8 隐蔽工程签证记录；
9 交（完）工报告；
10 交接书；
11 洽商记录；
12 验收证书。

8.2.5 初验过程中发现不合格的项目，应由责任方立即整改或返修至合格。

8.2.6 工程初步验收检测项目和内容可按表8.2.6所列内容并结合工程实际情况进行，可全检测，也可抽检测。

表8.2.6 工程初步验收检测项目和内容

检测项目	检测内容	检测结果
交流配电设备	防雷装置	
	自动接通、转换"市电"、"油机"供电	
	自动接通、转换事故照明电路	
	输出电压、电流值	
	过压、欠压、过流、欠流、缺相、事故、停电、熔断器等告警电路正常	
直流配电设备	输入电压、输出电压、电流值	
	浮充电、均充电转换性能	
	输出端浪涌吸收装置性能	
	多台设备并联工作的均分性能	
	过压、欠压、过流、欠流、熔断器等告警电路正常	
直流变换设备	输入电压、输出电压、电流值	
	限流性能和稳压精度	

续表 8.2.6

检测项目	检测内容	检测结果
直流变换设备	输出杂音电平	
	多台设备并联工作的均分性能	
	过压、欠压、过流、欠流、开路、短路、熔断器等告警电路正常	
逆变设备	输入电压、输出电压、电流值	
	稳压和频率精度	
	输出波形和谐波含量	
	"市电"停电转换供电时间	
	多台设备并联工作的均分性能	
	过压、欠压、过流、欠流、开路、短路、熔断器等告警电路正常	
不间断(UPS)电源	输入电压、输出电压、电流值	
	输出波形和谐波含量	
	稳压和频率精度	
	"市电"停电转换供电时间	
	设备过载能力	
	过压、欠压、缺相、蓄电池欠压、充电过流、熔断器等告警电路正常	
整流设备	输入电压、输出电压、电流值	
	限流性能和稳定精度	
	浮充电、均充电电流值和转换性能	
	输出过流保护值	
	"市电"或"油机"供电不震荡	
	自动稳压、稳流精度	
	输出杂音电平	
	过压、欠压、缺相、蓄电池欠压、充电过流、短路、模块熔丝等告警电路正常	

续表 8.2.6

检测项目	检测内容	检测结果
蓄电池	电池单体电压	
	电池组总电压	
	电池容量测试	
太阳电池	电池子阵开路电压、短路电流	
	电池方阵开路总电压、短路总电流	
	方阵仰角调整	
太阳电池控制器	交流配电单位	
	直流配电单元	
	系统控制器功能	
油机控制屏	市电、油机自动转换供电	
	机组输出电压、电流稳定时间	
	主用机组与备用机组自动转换	
	过压、欠压、转速高、频率高、油机过载、油压低、油位低、启动蓄电池欠压等告警电路正常	
发电机组	输出的三项电压及平衡度	
	转速和发电频率	
	电压自动调节和调速性能	
	油压、油温、水温	
	机械运转声响	
	燃油、润滑、冷却及排气系统运行状态	

8.3 工程试运行

8.3.1 通信工程经初验合格后,应由建设单位进行不少于3个月的试运行。

8.3.2 在试运行期间对设备的主要电气性能进行检查和测试,应达到指标要求,当主要指标达不到要求时,应整治合格后重新试运行。

8.3.3 试运行结束后,应由建设单位编制试运行报告。

8.4 工程终验

8.4.1 工程试运行结束后,建设单位应组织相关单位组成验收小组进行工程终验。

8.4.2 在工程终验过程中,检查项目应包括下列内容:
1 工程初验中提出的遗留问题处理结果;
2 工程试运行情况和测试报告;
3 工程档案情况;
4 工程初步决算。

8.4.3 工程通过终验后,验收小组应给出验收结论。

本规范用词说明

1 为便于在执行本规范条文时区别对待,对要求严格程度不同的用词说明如下:
　　1)表示很严格,非这样做不可的:
　　　正面词采用"必须",反面词采用"严禁";
　　2)表示严格,在正常情况下均应这样做的:
　　　正面词采用"应",反面词采用"不应"或"不得";
　　3)表示允许稍有选择,在条件许可时首先应这样做的:
　　　正面词采用"宜",反面词采用"不宜";
　　4)表示有选择,在一定条件下可以这样做的,采用"可"。
2 条文中指明应按其他有关标准执行的写法为:"应符合……的规定"或"应按……执行"。

引用标准名录

《声环境质量标准》GB 3096
《通信局(站)防雷与接地工程验收规范》GB 51120
《邮电建筑防火设计规范》YD 5002

中华人民共和国国家标准

通信电源设备安装工程验收规范

GB 51199-2016

条文说明

编 制 说 明

《通信电源设备安装工程验收规范》GB 51199—2016,经住房城乡建设部 2016 年 10 月 25 日以第 1338 号公告批准发布。

本规范制订过程中,编制组进行了通信电源设备安装工程验收过程的调查研究,总结了我国工程建设通信行业电源设备安装工程验收过程中的实践经验,开展了技术研讨,并广泛征求有关单位的意见,最后经有关部门共同审查定稿。

为便于广大设计、施工、建设、运营维护等单位有关人员在使用本规范时能正确理解和执行条文规定,本规范编制组按章、节、条顺序编制了本规范的条文说明,对条文规定的目的、依据以及执行中需要注意的有关事项进行了说明。但是,本条文说明不具备与规范正文同等的法律效力,仅供使用者作为理解和把握规范规定的参考。

目　次

1 总　　则 …………………………………………… （35）
2 机房环境和安全 …………………………………… （36）
3 配电、换流设备安装及线缆布放 ………………… （37）
　3.3 线缆布放 ……………………………………… （37）
4 交流供电系统 ……………………………………… （39）
　4.2 燃油发电机组 ………………………………… （39）
5 直流供电系统 ……………………………………… （41）
　5.1 整流设备通电检测 …………………………… （41）
　5.4 太阳能光伏发电系统 ………………………… （41）
6 蓄电池 ……………………………………………… （42）
　6.2 蓄电池安装 …………………………………… （42）
　6.3 阀控式密封铅酸蓄电池的充放电 …………… （42）
8 工程验收 …………………………………………… （43）
　8.2 工程初验 ……………………………………… （43）

1 总　　则

1.0.1 通信电源设备安装工程验收应包括两部分，电源设备出厂前验收和工程安装结束后竣工验收。

1.0.6 根据《中华人民共和国防震减灾法》中有关新建、扩建、改建工程应当达到抗震设防要求的内容，抗震设防烈度7度以上（含7度）地区使用的电源设备，若达不到抗震设防要求，将会危及电源设备的安全运行，造成中断事故。通信系统工程作为生命线工程，建设中使用的主要电信设备必须满足抗震设防的要求，以提高网络的抗震设防水平。本条为强制性条文，必须严格执行。

2 机房环境和安全

2.0.3 电力室、蓄电池室、油机室的温度、湿度应参照表1要求：

表1 电力室、蓄电池室、油机室的温度、湿度表

机房 温度、湿度	电力室	蓄电池室	油机室
温度（℃）	10～30	5～30	5～40
相对湿度（%）	30～75	≤85	≤85

蓄电池室的温度一般要求在5℃～30℃，超过或低于上述温度应采取降温和采暖措施。如用暖气片采暖时，应距电池体不小于1m的距离，防止因局部受热而影响电池的寿命。严禁引入明火装置取暖。

2.0.5 油机室高度应大于3.5m（80kW以下油机）或4m以上（80kW以上油机）。门框高度不应小于2.1m，宽度不应小于1.5m。门扇宜向外开启，出、入口应设置坡道。

2.0.10 易燃、易爆等危险物品存放在机房内会有很大的火灾隐患，为尽可能杜绝火灾隐患，要求机房严禁放置易燃、易爆等危险物品。本条为强制性条文，必须严格执行。

3 配电、换流设备安装及线缆布放

3.3 线 缆 布 放

3.3.3 交流电源线、直流电源线、信号线应分开布放,主要为了安全以及防止线间干扰。为便于维护,布放的直流电源线颜色应区分。如没有条件区分时,则必须在直流电源线两端分别加套红、蓝颜色的绝缘套管或热可缩套管,以便识别电源的正、负极性。

3.3.5 在布放电源线时,必须是整条线料,严禁中间有接头。因为电源线中间有接头时,当用电负荷量加大后,接头部位容易发热,发生氧化,增加接头电阻,甚至会发生火灾。本条为强制性条文,必须严格执行。

3.3.7 线缆包括机房内的布线、机架之间的连线以及设备内部各部件之间的连线。

3.3.8 电源线与设备连接时,应将电源线端头剥开镀锡,加装接线端子(线鼻子)。接线端子规格、尺寸适当,不得使电源线端头露铜过多。电源线的端头应套上热可缩的套管,正极为红色、负极为蓝色。

接线端子(线鼻子)有两种,一种为有缝式,一种为无缝式。如果用有缝式接线端子套接在电源线端头上,必须用电烙铁进行焊接,如果用压接工具进行压接,因压不紧会造成假接的现象。用无缝式接线端子套接在电源线端头时,接线端子尺寸应与导线的线径相配。电源线端头与接线端子应镀锡,表面光滑、平整,可用压接工具进行压接,接线端子与设备连接时,在螺母与导线连接圈或接线端子之间必须加装垫片和弹簧垫圈,拧紧螺母,使接线端子不会松动。如果不加弹簧垫片,电源接线端子容易松动。同时,电源线与接线端子相连时,不应使导线受到外界机械拉力,从而使设备端子受损。

3.3.10 沿地槽布放电源线、信号线时,因为地槽内湿度一般比较大,尤其在南方地区或机房在一楼等。电源线、信号线如果直接与地槽底部接触,容易使线料绝缘强度降低,绝缘电阻达不到要求,因此地槽内宜铺橡胶垫或用其他材料垫底。

4 交流供电系统

4.2 燃油发电机组

4.2.2 本条是对燃油发电机组安装的规定。

3 安装燃油发电机时,不宜用膨胀螺栓固定。因为燃油发电机启动时震动较大,可使膨胀螺栓松动。因此应在固定燃油发电机的基础之上,按燃油发电机固定的实际尺寸,采取"二次浇灌"预埋螺栓,使之稳固。螺栓预埋件位置误差不应大于5mm,高度应符合要求。螺栓规格宜采用 M18~M20。

5 在无人中继站、移动基站或常缺电的地区需要配备油机和配装储油罐,使燃油能满足油机连续或累计运行 240h 以上的需要。储油罐应安装在地面油库或地下。储油库的建筑和油罐安装应满足下列要求。

(1)建在地下的储油库应防潮、防水和通风,并设有吊装油罐的洞口和吊环,同时,还应便于装卸油料;

(2)建在地面的储油库不应开设采光窗,但应设置通风口;

(3)在炎热地区,地面储油库屋顶应有隔热设施;

(4)储油库耐火等级应不低于二级,防火间距应符合设计要求;

(5)储油罐的基础用混凝土浇灌时应保持水平一致、牢固,其高度不宜低于 300mm,基础尺寸应符合工程设计要求;

(6)储油罐安装应平稳、牢固,安装储油罐的压条材料应用 40mm×4mm 的热镀锌扁钢制作;

(7)储油罐输出的油管安装整齐,不得有渗油、漏油现象,穿越建筑物时应有保护措施;

(8)储油罐应安装指示器(油标尺)或传感器,并连接到监控接口,以便遥测油位;

(9)储油罐要注意防雷,接地线连接牢固。

4.2.3 本条是对管件加工和管路安装的规定。

2 燃油发电机管件弯曲时,管件尺寸裁定应准确,在管件里灌满细沙,密封管口两端,用喷灯烘烤,待管件"软化"后,再在台虎钳上弯曲。

10 排烟管安装时,应有 0.5% 的斜度,内侧应高于外伸侧。排烟管安装时离地面高度不应低于 2.5m。

4.2.7 机组除带载试验外,新燃油发电机在投入使用时,不宜一开始就以全负荷工作。应以部分功率使用 60h 以上,以改善燃油发电机的磨合情况,提高燃油发电机的可靠性和使用寿命。

5 直流供电系统

5.1 整流设备通电检测

5.1.4 杂音是电源设备输出的一项重要指标。测试整流、变换等设备的杂音,应用杂音计进行测试,同时在杂音计输入端加装一个2uf 的隔直流电容,以避免损坏杂音计。

5.1.8 整流设备的告警功能检查,主要以工程设计和厂家技术说明书为准,无要求时可按本条所列项目检查。

5.4 太阳能光伏发电系统

5.4.1 太阳电池主要指目前广泛使用的硅太阳电池。

5.4.3 为了防止雷电被引进室内,在布放太阳电池方阵的输出电源线时,必须采用具有金属防护套的电缆线。其护套在进入机房口前应就近接地,不得引进室内后再接地。电源线的芯线还应安装避雷装置。

5.4.4 太阳电池的能量与阳光的照射、气温等因素直接有关。如遇阴雨天气,太阳电池的输出电压、电流就会受到很大影响。因此,一定要在天气晴朗时或正常气象条件下进行测试,测试条件满足技术要求。

6 蓄 电 池

6.2 蓄电池安装

6.2.5 蓄电池的正、负极连接条安装时,应在电极的螺母与连接条之间加装弹簧圈和平垫片,使螺母拧紧后不松动。

6.3 阀控式密封铅酸蓄电池的充放电

6.3.1 阀控式密封铅酸蓄电池存放期不宜过长,超过一年时应进行容量试验。初次安装的蓄电池应连续充放电3次再进行容量试验。放电时,应以10小时率电流放电,若实放容量低于80%,则该电池在工程中不得使用。

8 工程验收

8.2 工程初验

8.2.4 在电源设备安装工程中,如果有监理单位,一般会向施工单位提供开工令。

8.2.5 在初验过程发现不合格的项目,责任方不能立即整改或返修至合格的项目可列入初验遗留问题,限定整改完成时间再进行补验。